HOW TO DRAW MONSTERS

ACTIVITY WIZO

ISBN: 978-1-951806-25-5

Have questions? We want to hear from you!
Email us at: support@activitywizo.com

Please consider writing a review!
Just visit: activitywizo.com/review

FREE BONUS

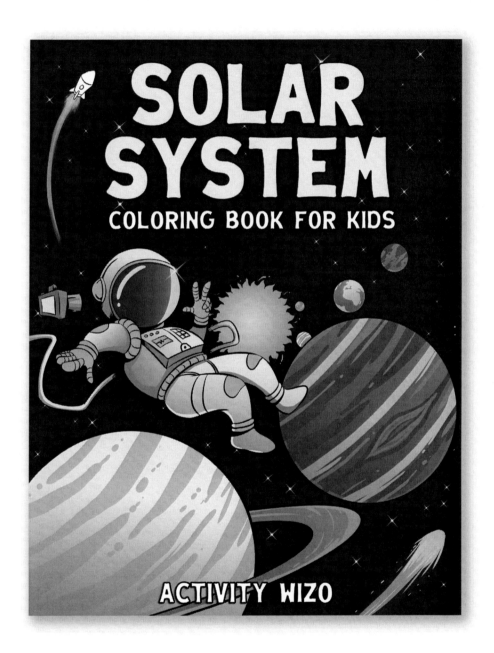

Just flip to the end of the book
to get the link!

INSTRUCTIONS

Start by getting a piece of paper and follow each step

from 1 to 6 to complete the monster!

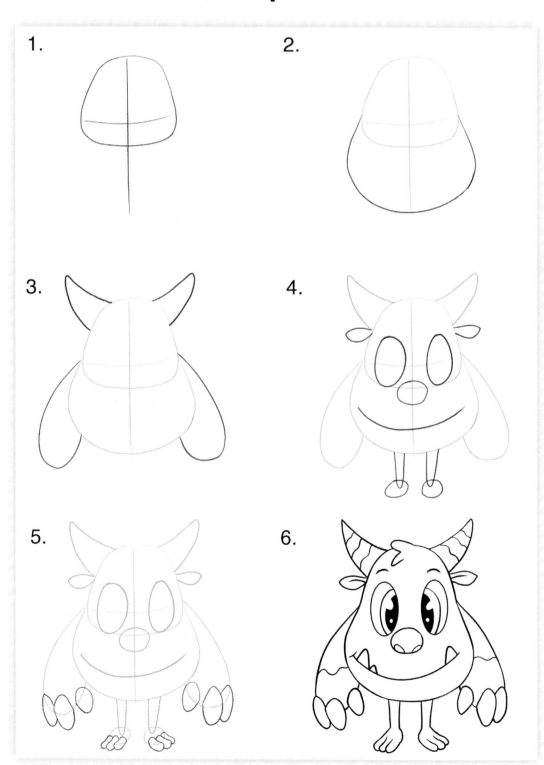

INSTRUCTIONS

PRACTICE DRAWING THE MONSTER AND COLOR THE PAGE!

 TRACE THE MONSTER ABOVE!

1.

2.

3.

4.

5.

6.

1.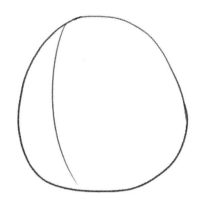

2.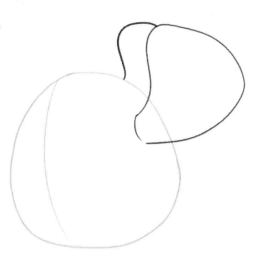

3.

4.

5.

6.

1.

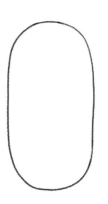

2.

3.

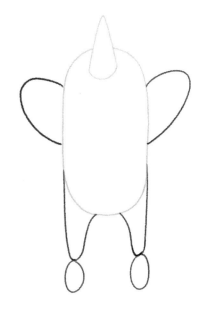

4.

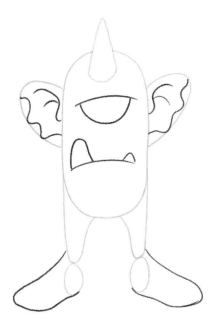

5.

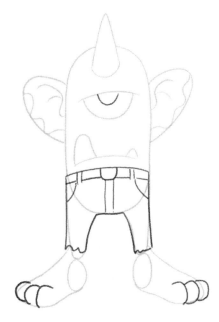

6.

1.

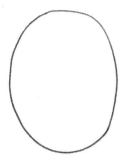

2.

3.

4.

5.

6.

1.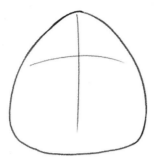

2.

3.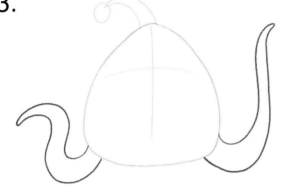

4.

5.

6.

1.

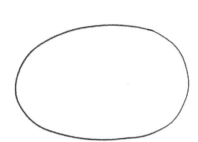

2.

3.

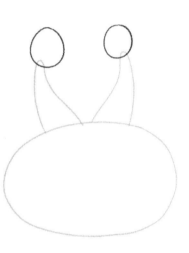

4.

5.

6.

1.

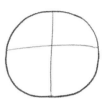

2.

3.

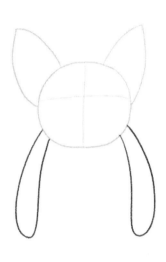

4.

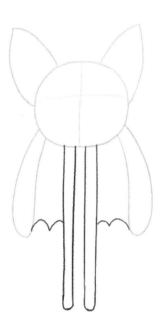

5.

6.

1.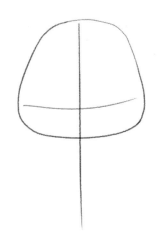

2.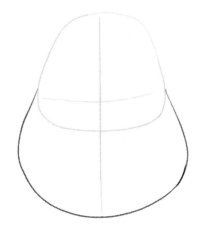

3.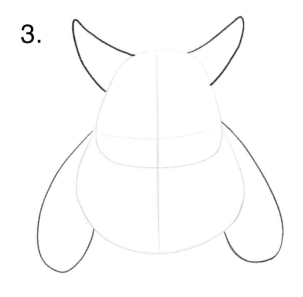

4.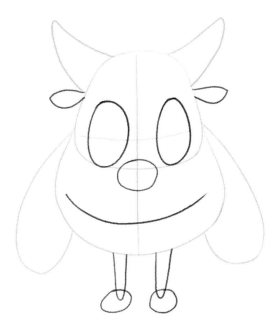

5.

6.

1.

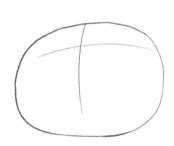

2.

3.

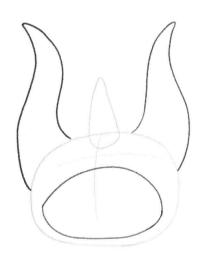

4.

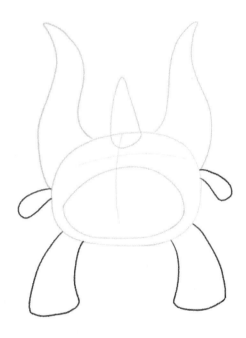

5.

6.

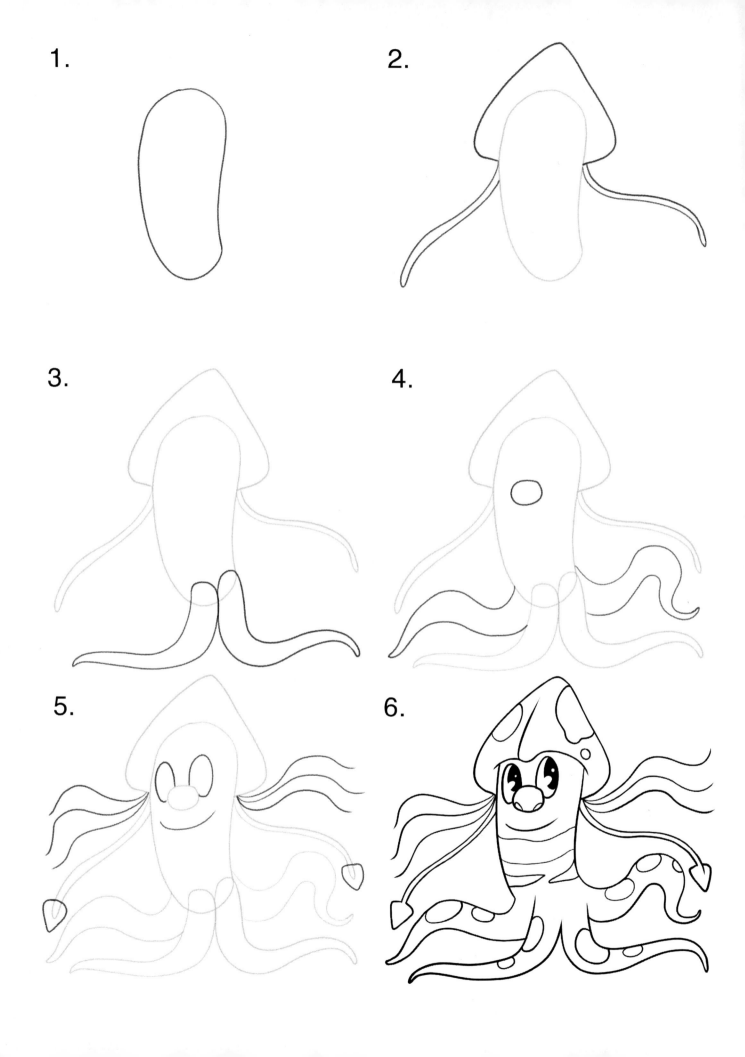

1.

2.

3.

4.

5.

6.

1.

2.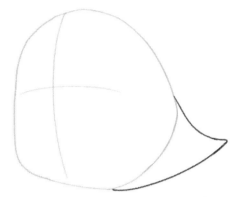

3.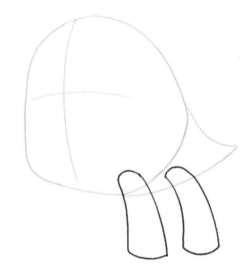

4.

5.

6.

1.

2.

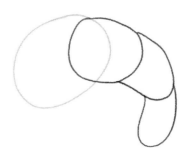

3.

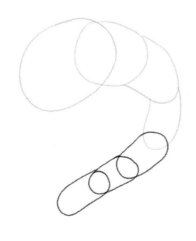

4.

5.

6.

1.

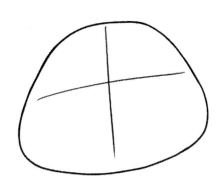

2.

3.

4.

5.

6.

1.

2.

3.

4.

5.

6.

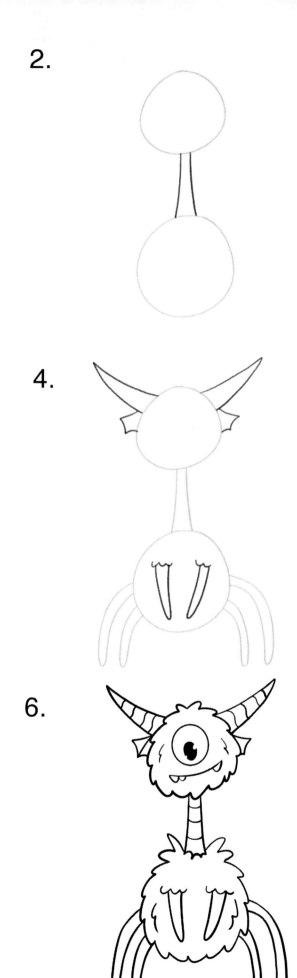

1.

2.

3.

4.

5.

6.

1.

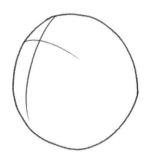

2.

3.

4.

5.

6.

1.

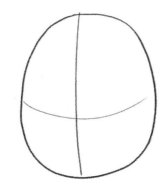

2.

3.

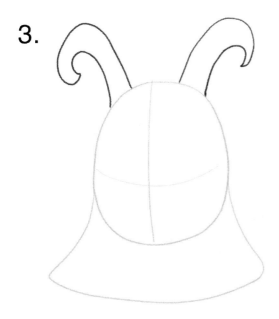

4.

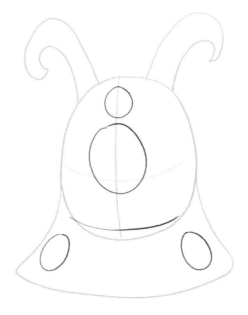

5.

6.

1.

2.

3.

4.

5.

6.

1.

2.

3.

5.

4.

6.

1.

2.

3.

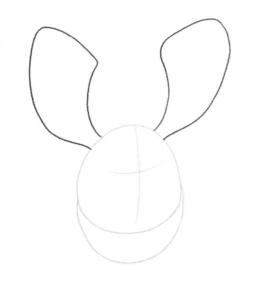

4.

5.

6.

1.

2.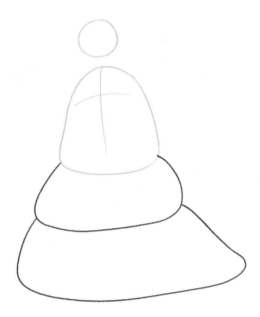

3.

4.

5.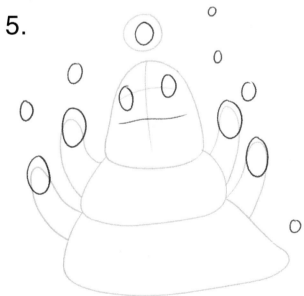

6.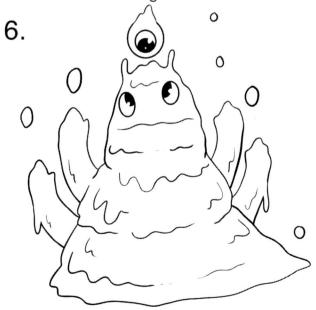

1.

2.

3.

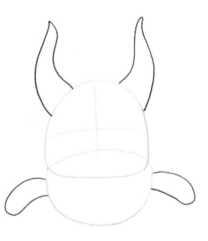

4.

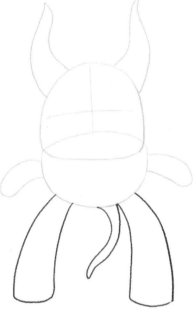

5.

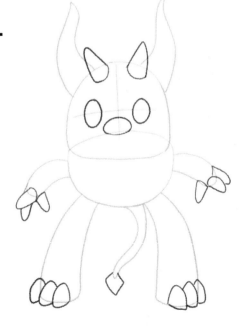

6.

1.

2.

3.

4.

5.

6.

1.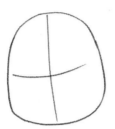

2.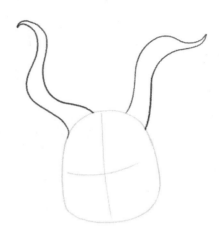

3.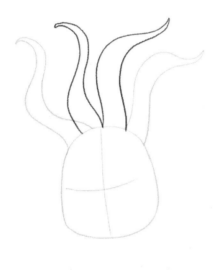

4.

5.

6.

1.

2.

3.

4.

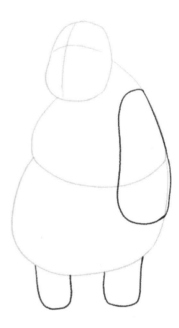

5.

6.

1.

2.

3.

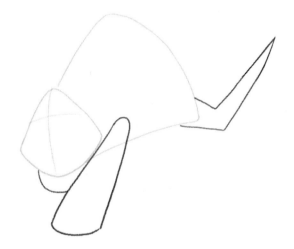

4.

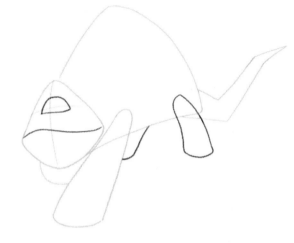

5.

6.

1.

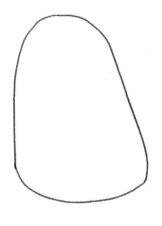

2.

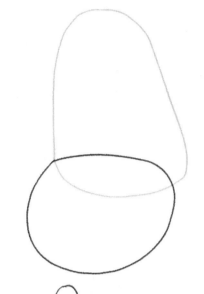

3.

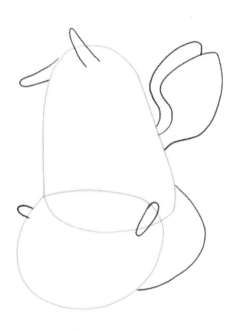

4.

5.

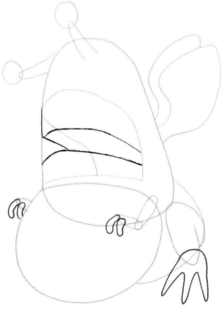

6.

1.

2.

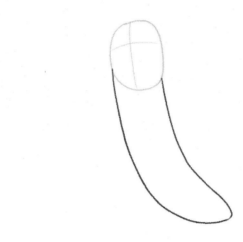

3.

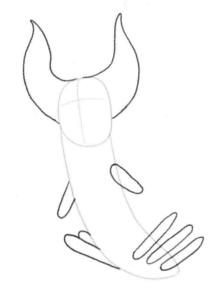

4.

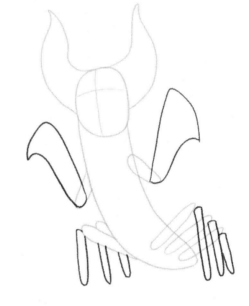

5.

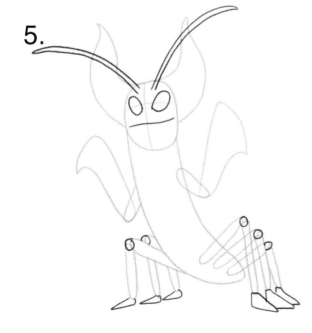

6.

1.

2.

3.

4.

5.

6.

1.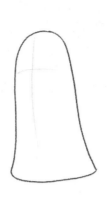

2.

3.

4.

5.

6.

1.

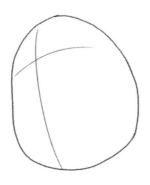

2.

3.

4.

5.

6.

1.

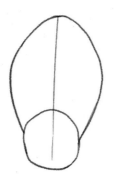

2.

3.

4.

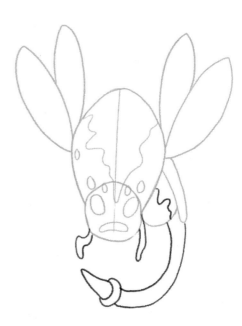

5.

6.

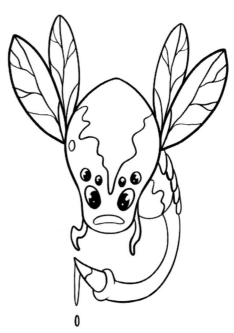

1.

2.

3.

4.

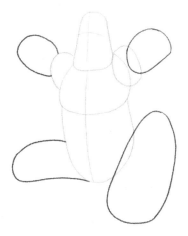

5.

6.

1.

2.

3.

4.

5.

6.

1.

2.

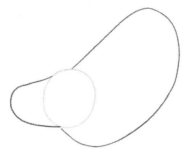

3.

4.

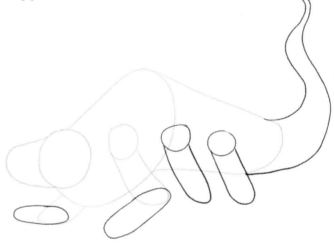

5.

6.

1.

2.

3.

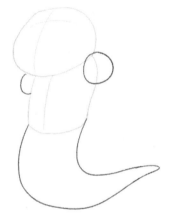

4.

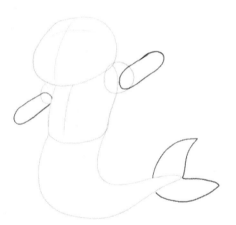

5.

6.

1.

2.

3.

4.

5.

6.

THANK YOU!

Have questions? We want to hear from you!
Email us at: support@activitywizo.com

Please consider writing a review!
Just visit: activitywizo.com/review

FREE BONUS

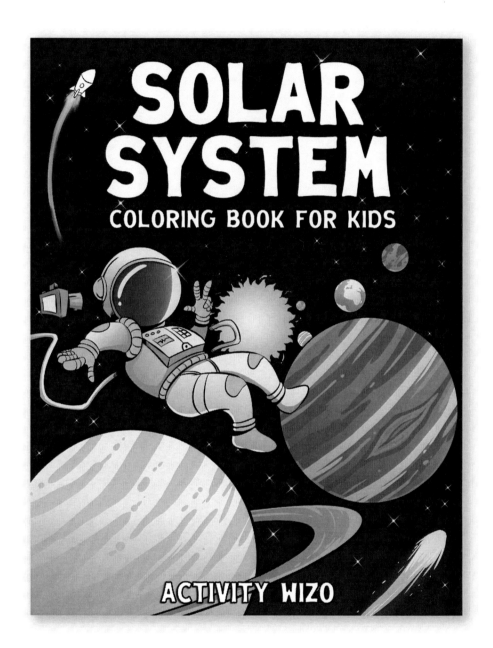

Get This FREE Bonus Now!
Just go to: activitywizo.com/free

Made in United States
North Haven, CT
20 December 2022

29846944R00050